로맨스는 처음이라

로맨스는 처음이라

발 행 | 2024년 06월 11일
저 자 | 박상혁
펴낸이 | 한건희
펴낸곳 | 주식회사 부크크
출판사등록 | 2014.07.15.(제2014-16호)
주 소 | 서울특별시 금천구 가산디지털1로 119 SK트윈타워 A동 305호
전 화 | 1670-8316
이메일 | info@bookk.co.kr

ISBN | 979-11-410-8896-5

www.bookk.co.kr

로맨스는
처음이라

박상혁 지음

CONTENT

-1-

"진수야, 혹시 조별 과제 프레젠테이션 만들어 줄 수 있냐? 동생이 갑자기 아프다네."

또 하기 싫어하는 것이다. 하지만 난 거절할 수 없었다. 그러면 나만 피해를 보기 때문이다. 그리고 차라리 내가 만드는 것이 좋을 수도 있다.

"네 제가 할게요. 빨리 갔다 오세요."

"그래, 고맙다."

"진수야, 자료 조사 끝났어?"

"아, 아직 못했어요. 빨리하겠습니다."

"빨리해 줄 수 있어? 나도 발표 준비해야 해서."

"네 빨리할게요."

그렇게 정신없이 하루가 지나갔다. 집에 오면 녹초가 되어 밥도 안 먹고 바로 잔다. 내일도 그 지옥 같은 곳에서 하루를 보낸다고 생각하니 정말 지긋지긋하다. 병원이라도 가야 하는 것일까.

주말에 정신과를 찾았다. 점점 무기력해지고 하고 싶은 게 없어서 나왔다.

"번아웃 증후군입니다."

의사가 나에게 병명을 말해주었다. 대학생이 번아웃이라니 이해를 못 했다.

"그래서 이제 뭐 하면 되나요."

"일단 약을 처방해 드릴 겁니다. 약 잘 드시고 한 달 뒤에 봅시다."

"네."

집에 가는 길에도 아무런 생각이 없었다. 사실 내가 번아웃이란 걸 짐작 하고 있었다. 그냥 대학생이 번아웃이라니 어이가 없었다. 그리고 난 잠시 휴학했다.

본가로 내려가 집에 가니 엄마가 마중 나왔다. 반

년 만에 날 본 엄마는 눈물을 흘리셨다. 나도 그때 참던 눈물이 흘렀다. 그렇게 한참을 울다가 집에 갔다. 집에 가니 가족들이 날 반겨주었다. 그렇게 본가에서 일주일을 보냈다.

다시 내 집으로 올라와서 의미 없는 하루를 보냈다. 약도 먹지 않았다. 약을 먹어도 상태가 괜찮아지지도 않았고 그 약을 보고 있자니 내가 진짜 정신병이 걸린 거 같아 버렸다. 그리고 가끔 극단적인 생각을 한다. 지금은 걱정해 줄 친구나 애인도 없다. 진짜 인생이 무의미한 거 같다.

친구의 조언으로 번아웃 모임에 갔다. 거기엔 나와 같이 번아웃이 온 사람들이 모여 있었다. 사람들의 후기를 들으면 약을 먹는 거보다 훨씬 효과가 있다고 했다. 나도 큰 기대는 안 했지만 약간의 기대를 하고 모임에 갔다. 그 모임에 가니 사람들이 자신의 이야기를 편하게 털어놓고 있었다. 나도 나의 이야기를 사람들에게 편하게 하였다. 대부분 사람이 공감을 해주었지만, 아직도 우울한 것이 남아있었다.

집에 오고 난 평소처럼 가만히 시간을 보냈다. 집에 와서 방금 있던 일을 생각하니 나와 똑같은 우울한 표정과 아무 생각이 없어 보인 여자가 생각이 났다. 그 여자도 나와 같은 일 때문에 번아웃이 왔다고 생각하고 다시 의미 없는 시간을 보냈다.

한 달이 지났다. 다시 병원에 가는 날인데 가기 싫었다.

"요즘엔 기분이 좋나요?"

"여전해요."

"그럼 약은 그대로 가겠습니다."

"그렇게 해주세요."

"알겠습니다."

"혹시나 감정에 변화가 생기면 바로 와주세요."

감정에 변화가 올 일은 없을 것이다.

오늘 모임이 있어 밖을 나왔다. 2주 만에 나온 거 같다. 감정도 그대로이다. 웃지도 울지도 않는 그런 감정이다. 모임에서 더 이상 할 말이 없어졌다. 아무 생각이 없을 때 그때 그 여자가 보였다. 그 여자는 처음 봤을 때 그 표정을 하고 있었다. 그 사람은 다음 달도 항상 그 표정이었다. 세 번째 달도 같은 표정이었다. 얼마나 힘든 시기를 보냈으면 금방이라도 울 거 같은 표정을 하는지 너무 궁금해졌다. 그래서

네 번째 달부턴 나는 그 여자 옆으로 다가가 보았다. 평소엔 하지도 않던 행동이다. 멀리서는 몰랐는데 이 여자는 울고 있었다.

"무슨 일 때문에 울어요?"

"보면 몰라요."

아직 마음을 열지 않은 거 같다. 나는 다음 모임에 다시 시도해 보았다.

"전 번아웃이라네요. 대학생이 번아웃이란 게 신기하네요."

"저도 번아웃이에요. 직업은 작가이고. 전 슬럼프 비슷한 건 줄 알았는데 의사가 번아웃이라고 진단했어요."

"전 이제 살 만하네요."

"왜 그렇게 생각해요. 미래를 생각하면 슬프기만 한데."

"제 말은 같은 번아웃인 사람이랑 있으니까 편할 거 같다고요."

"그렇게 생각하니까 맞는 말인 거 같기도 하네요."

"생각해 보니까 서로 이름도 안 물어봤네요."

"아, 저는 김지수입니다."

"전 이진수입니다."

"진수 씨는 뭐 하던 사람이에요?"

"전 그냥 공대생이에요. 근데 우울증 같은 증상이 있더니 갑자기 번아웃이라네요."

"저기 시간 되시면 모임 끝나면 저녁 같이 드실래요?"

"좋아요."

이상하게 기분이 좋다. 지금까지 이런 적이 없었는데 뭔가 이상하다. 아무튼 약속을 잡아 버렸으니 가야 할 거 같다.

"진수 씨는 몇 살이세요?"

"저는 25살입니다."

"전 27이에요."

"저보다 누나네요. 말 편하게 하세요."

"만나지 하루도 안 됐는데 어떻게 그래요. 괜찮아요."

그렇게 많은 이야기가 오고 갔다.

"이렇게 말을 오래 한 것도 오랜만이네요."

"저도 오랜만이에요."

"저기 진수 씨만 괜찮으시면 다음에도 저녁 드실래

요?"

"전 좋아요."

한 달 뒤 다시 병원을 찾았다.

"혹시 감정이나 뭐 달라진 거 없나요?"

"감정은 바뀐 거 같아요."

"그럼 다른 약을 바꿔 볼게요. 혹시 어떻게 바뀌었는지 알 수 있을까요?"

"별거 아니지만 기분이 살짝 좋은 거 같아요."

"좋은 겁니다. 계속 그러면 될 거 같네요."

"네, 감사합니다."

상태가 좋아졌다. 하니 조금 살 거 같다. 오늘 지수 씨랑 저녁 약속이 있는 날이다. 알 수 없는 감정이 든다. 그래도 다행인 건 기쁨에 속하는 거 같다.

"진수 씨는 여자 친구 있으세요?"

"네?"

"아, 너무 사적인가요. 죄송합니다."

"아니에요. 그냥 너무 갑작스러워서 그런 거예요. 전 없어요. 전부터 없었어요."

"저도 없어요."

"전 그래도 이렇게 밥 같이 먹는 친구가 있으니까

좋네요.”

“저도 그래요.”

“그리고 전 사랑에 대한 건 아픈 기억뿐이네요.”

“저도 그래요. 진수 씨만 그런 거 아니니까 걱정하지 마세요.”

“네.”

집에 가는 길에 계속 이상한 감정이 생겨난다. 지금은 이게 기쁜 감정인지 슬픈 감정인지 모르겠다. 사람을 너무 안 만난 탓일지도 모른다. 확실한 건 집에 가는 길이 가벼워졌다는 것이다.

하루가 지나니까 다시 원래대로 돌아왔다. 아무 생각이 없고 의미 없게 시간이 지나간다. 역시 사람을 만나야 할 거 같다. 하지만 주변에 만날 사람은 없다. 지수 씨를 제외하면……. 요즘 내가 이상한 거 같다. 평소에 안 하던 행동을 한다.

“선생님, 보통의 번아웃인 사람들은 빨리 회복되나요?”

“이게 사람마다 달라요. 근데 대부분 빨리 회복하시는 분은 본 적이 없어요. 혹시 감정이 또 바뀌셨나요?”

"네, 제가 자주 만나는 사람이 생겼어요. 근데 그 사람만 보면 느껴 본 적 없는 감정이 생겨요."

"일단 더 지켜보겠습니다. 기분 나쁜 감정은 아니죠?"

"네."

"그럼 지켜보다가 한 달 뒤에 봅시다."

"네……."

집에 와서 나는 인터넷을 뒤졌다. 여러 곳에 물어보고 자료를 찾아보았다. 하지만 얻은 것은 없었다. 당연한 결과이다. 수확이 없어서 그런지 다시 피곤함이 몰려왔다. 왜인지는 모르겠지만 다음 모임이 기대된다.

요즘 더 이상해졌다. 모임에 가는 전날이면 난 잠을 설친다. 원래라면 무기력해서 잠만 잔다. 이제는 내다 좋아지고 있는 건지 안 좋아지는 건지 모르겠다. 아무튼 오랜만에 밖을 나왔다. 어쩌다가 하늘을 봤는데 오늘 본 하늘은 엄청 맑았다. 원래 하늘이 이렇게 맑았을까? 학교 다닐 때는 못 보던 풍경이다. 내가 학교 다닐 때는 불행의 연속이었다. 따지고 보면 고등학생 때 일이다. 고등학생은 대학에 가야 하는 시기이다. 나도 그중 한 명이었다. 문제지와 교과서 그리고 학습지만 보니 하늘을 올려다본 적이 없었다. 그래도 그때 날씨가 어쨌는지는 알 수 있었다. 그때 날씨는 항상 흐렸다. 그렇게 겨우 붙은 대학교도 불행의 연속이었다. 나는 2학년이 끝나고 군에 입대하였다. 그러다 보니 1년 사이에 내 동기들은 벌써 졸업반이라 한다. 그러면서 사람들을 피했던 거 같다. 그래도 열심히 해서 3학년이 되었다. 그리고 얻은 것은 번아웃이다. 아무튼 난 사람을 많이 피했다. 그래서 내 자신을 더 이해하기 어려웠다. 평소에 안 하던 사람에게 먼저 다가간다던가 말을 엄청 많이 하고 따로 시간을 내서 사람이랑 만나는 것까지 이해할 수 없는 행동만 한다.

오늘 만난 지수 씨의 표정은 안 좋았다. 나는 궁금했지만, 물어볼 수 없었다. 그렇게 오늘은 평소와 다르게 헤어졌다. 무슨 일인지 너무나 궁금했다. 작업이 잘 안 풀렸는지 아니면 진짜 안 좋은 일이라도 생긴 건 아니길 빈다.

곧 있으면 추석이다. 하지만 난 명절을 좋아하지 않는다. 명절을 즐기기엔 이미 내 감정은 너무 많이 없어졌다. 그래서 이번 명절엔 못 갈 거 같다.

다음 모임에서도 지수 씨의 표정이 좋지 않았다. 나는 너무 궁금해서 물어보았다.

"저기 지수 씨, 무슨 일 있어요?"

"아, 가끔 이래요."

"아, 그렇구나……."

"진수 씨는 진짜 연애 경험이 없네요. 여자가 그렇다면 그런 게 아니에요."

"아……."

"진수 씨 때문에 기분이 좀 풀리네요."

지수 씨는 환하게 웃고 있었다. 내 심장이 빨리 뛰는 거 같다.

"저 지수 씨, 저 잠깐 화장실 좀 갔다 올게요."

"네. 다녀오세요."

난 자리에서 일어나 급하게 화장실로 갔다. 화장실에 도착해 거울을 보니 내 얼굴이 빨갛게 되어 있었다. 이 감정이 뭔지 혼란스러웠다.

"선생님, 요즘 기분이 좋았다고 안 좋았다가 막 그러는데 이거 감정 기복이죠?"

"그, 정확하게 말해주세요."

"제가 모임에서 친해진 사람이 있어요. 그 사람만 보면 심장이 뛰고, 얼굴이 빨갛게 돼요."

"혹시 진수 씨는 연애를 해보신 적 있나요."

"아니요."

"그건 사랑이라는 겁니다."

"네?"

"사랑이요. 제가 정신과 일만 벌써 20년째인데 사랑을 모르시는 분은 처음 보네요. 그래도 불행 중 다행이네요. 계속 안 좋아지면 어쩌나 했습니다."

내가 사랑을 하고 있다니 더 혼란스러웠다. 그래도 이런 감정이라도 있어야 살 만할 거 같다. 문제는 지수 씨의 마음이다. 내 마음만 내 세우면 지수 씨도 부담스러워할 것이다. 그래도 뭔가 놓치기 싫다. 뭔가 이 기회를 놓치면 내 인생은 어두워질 거 같다.

"진수 씨 뭐 드실래요?"

큰일 났다. 무슨 말을 해야 할지 모르겠다.

"어, 음……."

"혹시 입맛 없으세요?"

"아, 그건 아닌데……."

"그런 밥 말고 좀 걸죠?"

"네."

"밤공기가 좋네요."

"네, 좋네요."

너무 부자연스러운 거 같다. 그래도 뭐라 말해야 할지 모르겠다.

"진수 씨, 혹시 피곤하세요? 평소랑 하는 행동이 다르네요. 들어갈까요?"

"아니에요. 오늘따라 피곤하네요."

"그럼, 다음에 봐요."

"네, 들어가세요."

집에 들어가고 난 머리를 때리며 후회했다. 하지만 처음 해보는 사랑이라 어떻게 해야 할지 잘 모르겠다. 그래도 온통 지수 씨 생각뿐이다. 인터넷에 지수 씨를 검색해 보니 진짜 작가로 나와 있었다. 책도 하나 주문해서 읽어봐야 할 거 같아.

밤을 설쳤다. 이 사랑 오히려 독일지도 모른다. 머릿속에 온통 지수 씨 생각이다. 조언을 구해 봐야 할 거 같다.

"여보세요."

"누구세요."

"넌, 누구신데요."

"이거 이지은 씨 핸드폰 아닌가요."

"맞는데 왜 새벽부터 난리야."

역시 새벽 여동생 목소리는 구별할 수가 없다.

"내가 사랑이라는 걸 하고 있거든. 조언 좀."

"네가? 참 살다 보니 별일이 다 있네."

여동생 뒤봤자 의미가 없다.

"그래도 여자인 너는 잘 알 거 아니야."

"흠……."

"됐다. 관두자."

"그 여자가 그렇게 좋아?"

"그래. 좋은데 어떻게 해야 할지 모르겠어."

"진심으로 좋아하는 거면 잡아. 어휴, 난 모르겠고 전 자러 갑니다. 무슨 사람을 새벽 4시에 깨워."

"고맙다."

"너 진짜 미쳐가는구나?"

"시끄러워, 끊어."

잡아봐야 할 거 같다. 근데 어떻게 잡지?

일주일을 못 잤다. 어떻게 잡아야 할지 고민하다가 일주일을 안 잤다. 다행히 결론은 내렸다. 그리고 지수 씨의 책을 읽어 보니 엄청 재미있었다.

"네, 여보세요."

무슨 말을 해야 하지?

"여보세요. 누구세요?"

"안녕하세요. 저 이진수입니다."

"아 진수 씨 전화번호였어요? 생각해 보니까. 전화번호도 없었네요."

"저기 지수 씨, 전에 못 먹은 저녁 드실래요?"

"저 시간 비어서 가능할 거 같네요."

성공했다. 이제 다음이다. 근데 내 계획은 여기까지다. 그래서 진짜 문제는 여기서 부터다. 빨리 좋은 식당을 찾아봐야 할 거 같다.

"오, 여기 분위기 좋네요."

"제가 찾아봤어요. 여기 양식이 맛있는데요"

"제가 양식 좋아한다고 말했나요?"

"아, 저도 양식 좋아해서. 안 좋아하시면 어쩌나 했는데 다행이네요."

"진수 씨랑 저랑 취향이 잘 맞네요. 아니면 궁합이 잘 맞는 건가?"

심장이 빨리 뛴다. 진정 못 하겠다. 그때 마침 음

식이 나왔다.

"여기 음식 괜찮네요."

"입맛에 맞아서 다행이네요."

"진수 씨, 밥 다 먹고 근처 카페에 가실래요? 집 가서 혼자 멍때리지 마시고 자주 나와요."

"네, 좋아요."

밥을 겨우 욱여넣고 카페에 왔다. 그런데 계속 이상한 상상을 하게 된다. 정신을 못 차리겠다. 어떻게 대화를 이어 나가야 할지 감이 안 온다.

"아, 맞다. 지수 씨 작가라 하셨잖아요."

"네."

"그런 지금도 책 쓰세요?"

"아니요. 요즘은 잘 안 써요."

"잘 써지지도 않고 좋은 아이디어도 없어요."

"그럼 다른 사람의 인생을 써보는 건 어때요?"

"그러고는 싶은데 주변에 사람도 없네요."

"그럼 저는 어때요?"

그때처럼 똑같은 분위기다. 고백해야 하는 타이밍인가?

"어, 시간이 벌써 이렇게 됐네요."

"아, 그러네요. 다음에 봐요."

"네. 쉬세요."

난 집에 와서 엄청난 후회를 했다. 왜 계속 분위기를 이상하게 만드는지 이해를 못 하겠다. 내가 한 말이 고백으로 들렸으면 좋겠다. 근데 당황한 얼굴이 아직도 머리에 맴돈다. 요즘은 개운하다. 좋은 일만 있어서 그런 거 같다. 근데 문제는 오늘 할 것이 없다. 그래도 가만히만 있기엔 좀 그러니 운동이라도 해야 할 거 같다. 오랜만에 운동을 하는 데 쓰러지지는 않을 것이다. 그나저나 벌써 쌀쌀해진 거 같다. 그러면 크리스마스도 얼마 안 남았다는 소리다. 이번 겨울이 지나기 전에 고백해야 할 거 같다.

"선생님, 요즘 감정이 조절이 잘 안 돼요."

"여러 감정이 조절이 안 되나요?"

"그냥 좋아하는 감정이 조절이 안 돼요."

"그건 제가 해줄 수 있는 게 아니에요. 진수 씨 본인이 하셔야 해요."

"그래도 이런 감정이 처음이라서 어떻게 해야 할지 모르겠어요"

오늘도 별로 얻은 것이 없다. 진짜 이 감정을 어떻

게 해야 할지 알 수 없다. 그래도 여러 번 만나봐서 쌓인 데이터가 많다. 그 쌓인 데이터 때문에 더 쉽게 못 다가가 갈 거 같다. 그리고 나와 지수 씨 같은 경우엔 상처가 많은 사람이다. 그런 사람에게 또 상처를 줄 수 없다. 물론 나도 그런 안 좋은 일을 또 겪는 것이 싫다.

또 일주일이 지났다. 아직도 어떻게 해야 할지 모르겠다. 너무 답답해서 밖에 나가 소리 지르고 싶은 정도다. 이렇게 화를 내는 동안에도 지수 씨 생각뿐이다. 진짜 날 이해 못하겠다. 그냥 고백하면 되는 것을 계속 이러고 있으니 너무 화가 난다. 진짜 내 마음을 전해야 하는지 진짜 모르겠다. 그러던 중 좋은 생각이 떠올랐다. 좋지 못한 방법이긴 하지만 술에 취해 있으면 말하기가 더 쉬울 거 같을지도……. 이건 아무래도 아닌 거 같다. 또 뭐가 좋을지 고민하던 중 나와 엄청 친한 친구에게 연락이 왔다.

"여보세요."

"야 이진수, 너 목소리에 왜 이렇게 힘이 없냐?"

"일이 많아서 그래."

"그럼 한잔하자."

"입맛 없어."

"그냥 좀 나와 줘라. 네가 휴학하니까 학교에 나뿐이잖아. 넌 내가 불쌍하지도 않냐."

"나갈게. 어휴 암튼 입만 살아가지곤 말 못 해요."

"항상 만나던 곳으로 와라."

"알겠어."

결국 친구 때문에 밖을 나간다.

"야, 너 무슨 일 있지."

"없어. 네 일이나 잘해."

"아닌데 뭔 일 있는데?"

"아니 그게 아니라. 내가 자주 가는 모임에서 자주 보는 사람이 있어."

"뭐지 이 로맨스가 시작할 거 같은 도입부는."

"눈치는 쓸데없이 빠르네. 아무튼 그 만나는 사람이 좋아졌어. 근데 이게 어떻게 마음을 전해야 할지 모르겠거든. 어떻게 해야 할까?"

"그 여자도 너 좋아해?"

"아니, 사실 잘 모르겠어."

"그러면 짝사랑이네. 이야 내가 대학 동기 짝사랑하는 걸 다 보네."

"아니 나 좀 도와줘. 진짜 어떻게 해야 할지 모르겠어."

"좋아하면 잡아."

"다 똑같은 소리네."

"좋아하면 잡아야지 그러면 그냥 놔둬?"

"그건 아닌데."

"그니까 또 그때처럼 후회하지 말고 이번엔 잡아."

"그래야지."

"일단 난 간다."

"그래 가. 그리고 고맙다."

"취했냐? 뭐라는 거야."

결심했다. 내 마음을 전할 것이다. 근데 지금은 이른 거 같다. 시간을 더 가져야 할 거 같다. 아직은 내가 준비가 안 된 거 같다. 곧 있으면 모임인데 당연하게도 기대가 된다.

오늘 모임인데 무엇을 입어야 할지 모르겠다. 오랜만에 옷장을 열어 봤지만 먼지가 엄청 많았다. 밖을 나가지를 않으니 당연하다. 아직 시간이 많으니까 세탁하면 된다. 근데 진짜 뭐 입어야 할지 모르겠다. 일단 적당히 깔끔한 옷을 입는 게 좋을 것이다. 제발 그랬으면 한다. 지금이라도 평소에 입던 것을 입어야 하는 것인지 의문이 든다. 적당히 코트를 걸치고 마침내 집에서 나왔다. 이 정도면 깔끔하다. 내 기준인 것만 빼면. 아무튼 무사히 도착했다. 지수 씨는 항상 그 자리에 있었다. 그날도 평소처럼 수다를 떨고 농담도 하며 시간을 보냈다. 그리고 평소처럼 저녁을 먹고 카페에 갔다. 그러던 그때 난 지수 씨가 왜 책 쓰는 것을 멈췄는지 궁금해졌다.

"지수 씨는 왜 책 쓰는 걸 멈췄어요?"

"말하자면 길어요."

"그래도 궁금해요."

"사실 제 부모님은 제가 책을 쓰는 것을 싫어하셨어요. 그래서 그거 때문에 많이 다투는 일이 많았어요. 그리고 최근에 또 그런 일이 있어서 책 쓰는 것을 멈췄어요."

"계속 써주시면 안 돼요? 전 재밌던데."

"그걸 읽었어요?"

"네."

"제 친구한테도 읽지 말라고 했는데……."

"죄송해요. 저는 작가라 하셔서 어떤 책을 썼는지

궁금해서 읽어 읽은 거예요."

"전 괜찮은데 그렇게 말하시면 제가 뭐가 돼요."

"죄송해요."

"이제 죄송하단 말 그만 하세요. 제가 미안해지잖아요."

"네. 안 할게요."

"근데 진수 씨도 옷을 잘 입네요. 평소에 안 입던 코트를 입으시네요."

"가을이잖아요. 오랜만에 꺼내 봤어요."

"근데 옷 진짜 깔끔하게 잘 입네요."

"감사합니다."

그렇게 많은 얘기를 하고 집에 와서 지수 씨의 책을 읽었다. 지수 씨의 소설은 대부분 추리 소설이었다. 그리고 로맨스 소설이 딱 한 개 있었다. 그 소설의 주인공은 마치 지수 씨 본인 같았다. 상처만 남은 인생이 내 인생 같기도 했다. 그래도 끝에서는 주인공의 과거를 잊게 해준 좋은 사람과 사랑을 나누며 소설이 끝이 난다. 이게 진짜 지수 씨의 인생을 쓴 것이라면 내가 소설 마지막에 나오는 그런 사람이 되고 싶다. 지수 씨의 아픈 과거를 잊게 해줄 수 있는 그런 사람…….

　책을 읽다가 잠이 들었던 거 같다. 그리고 진짜 잘 잤다. 요즘 좋은 일만 있어서 그런지 잠을 잘 자는 거 같다. 그래서 그런지 엄청 개운하다. 근데 문제는 지수 씨에게 내 마음을 전하는 것이다. 이것이 최대 난제이다. 마음 하나 전하는데 무슨 난제까지 하는지 나조차 이해를 못 하겠지만 최대 문제이니 난제로 생각해야 할 거 같다. 하루 종일 지수 씨 생각만 했다. 지수 씨의 책을 읽고 관련 기사도 찾아보았다. 신문에선 좋은 평가가 많았다. 그런 사람이 부모와의 다툼으로 무너졌다는 것이 안쓰러웠다. 꼭 내가 힘들었던 일들을 잊게 해주고 싶다.

　오늘 다시 병원을 찾았다. 근데 체감상 이미 괜찮아진 거 같다. 요즘 우울하지도 않고 무기력한 것도 없다. 아마 지수 씨를 만나고부터 이미 번아웃이 끝난 거 같다. 당연하겠지만 기운도 돌아오고 더 살아야 할 이유를 찾았다. 그래서 요즘 기분이 좋다.

　"요즘 기분 어떠세요?"

　"너무 좋아요."

　"그분이랑은 잘 되고 있는가요."

"아직 그건 아닌데, 저 번아웃이 완치된 건가요."

"일단 완치라 확정 짓는 건 무리가 있어요. 그래도 지금 기분 상태라면 완치라 봐도 될 거 같아요."

"진짜, 감사합니다."

"네, 그런 저랑은 한 달 뒤에 보는 거로 합시다."

"네, 감사합니다."

당연한 결과이다. 요즘 기분이 너무 좋아졌기 때문에 어느 정도 예상을 하고는 있었다. 그래도 이렇게 빨리 좋아지게 너무 신기하다. 근데 생각해 보니까 이젠 모임에 갈 이유가 없어졌다. 그런 지수 씨를 언제 봐야 하지? 일단 지수 씨랑 만나서 얘기를 해봐야 할 거 같다. 복학은 나중에 천천히 생각해 봐야 할 거 같다.

"무슨 일이에요?"

"제가 상태가 좋아졌다고 하네요."

"잘됐네요. 축하해요. 그런 이제 복학도 하시고 모임도 안 나오시겠네요."

"복학은 천천히 생각해 보려고요."

"그런 이제 못 보는 건가요? 진수 씨가 있어서 저도 좋아지는 거 같았는데……."

"그런 계속 만나면 되죠."

"그래요."

"배 안 고파요? 제가 오늘은 사겠습니다."

"그럼 당연히 가야죠."

지수 씨와 밥을 먹고 헤어진 후 나는 집으로 걸어 가면서 엄마에게 전화했다.

"아들, 왜 전화했어?"

"엄마, 나 상태가 많이 좋아졌데요."

"진짜? 잘됐다. 잘됐어."

"이번 주말에 내려고 갈게요. 이번 명절에 못 갔잖 아요."

"안 힘들겠어?"

"괜찮아요. 나 아직 20대야."

"그래, 주말에 보자."

"네, 쉬세요."

"그래."

전화를 끊자마자 친구에게 전화가 왔다.

"여보세요."

"야, 그래서 병원에서 뭐래?"

"좋아졌데."

30

"그런 복학 하겠네? 아, 미안"

"괜찮아. 복학은 천천히 생각해 보려고."

"그래, 잘 생각했어. 됐고 금요일에 시간 비지? 내가 술 산다."

"그래 갈게."

그러고 보니 주말에 부모님 집에 가야 하는 데 친구들과 약속을 잡다니……. 너무 기분이 좋았던 나머지 다음 일정을 생각 못 했다. 그래도 오랜만에 친구들을 만난다고 하니 기분이 좋다. 빨리 금요일이 왔으면 한다.

"진짜 축하한다."

"고맙다."

"일단 마시자."

그렇게 술이 엄청나셨다. 오랜만에 취할 때까지 마신 거 같다.

"난 너희들이 있어서 좋은 거 같아. 그러면서 번아웃을 무슨."

"뭐야 취한 거야? 그런 이제 가자."

나는 친구들이 끌고 나와 겨우 택시에 탈 수 있었다. 지수 씨는 뭐 하고 있을지 너무 궁금했다. 집에 도착하고 나는 계단에 앉아 지수 씨에게 전화를 걸었다.

"여보세요?"

"지수 씨, 뭐 하세요?"

"진수 씨 술 드셨어요?"

"네, 친구들이 마시자고 해서 마셨는데 너무 많이 마신 거 같네요."

"들어가서 쉬세요. 많이 마신 거 같은데요."

"그럴 거예요."

"무슨 일 있으세요?"

"아니요. 그냥 생각이 많은데 정리가 안 되네요."

"하나씩 해결해 보세요. 그런 언젠가는 정리가 되어 있을 것이에요."

"그래요? 그런 전부터 정리 안 된 거부터 해결해야겠다."

"네?"

"좋아해요."

"무슨 말이에요?"

"좋아한다고요."

"진수 씨, 저는……."

"대답은 안 해도 돼요. 끊을게요."

그렇게 통화가 끝나고 집에 들어갔다. 하루가 지나고 나는 숙취가 몰려오고 왔다. 필름까지 끊기고 참어이가 없다. 메시지가 왔다. 지수 씨의 문자였다. 다음 주 주말에 만나자는 메시지였다. 왜 만나는지 궁금했지만, 나는 그런 생각을 할 시간이 없다. 빨리 기차를 타야 한다. 일단 부모님 집에서 쉬고 생각해 봐야 할 거 같다. 이틀이 지나고 나는 다시 집으로 왔다. 그리고 아직 왜 만나자고 했는지 답을 찾지 못했다. 주말이 되면 알 수 있을 것이다.

"혹시 진수 씨, 저번 금요일에 하신 말 기억 하세요?"

"무슨 일이요? 그때 너무 취해 있어서 기억이 잘 안 나요. 혹시 제가 무슨 말을 했나요?"

"그건 아니에요."

"별일 아니면 다행이네요."

"아, 제가 볼일이 있어서 먼저 가볼게요."

"네."

오늘따라 지수 씨는 웃지 않았다. 그리고 빨리 헤어졌다. 나는 바로 집으로 달려가 통화기록을 찾아봤다. 녹음 되어 있는 것들을 봤는데, 내가 일을 내버렸다. 술김에 고백을 해버렸다.

"하……."

한숨이 저절로 나온다. 내가 왜 그랬을까. 그래서 지수 씨가 나를 피하는 것일지도 모른다.

며칠간 지수 씨는 나를 의도적으로 피한다. 역시 그 일 때문인 거 같다. 해명을 하고 싶지만, 만날 수도 없다. 그때 모임 회장이 나한테 전화했다.

"여보세요?"

"아, 안녕하세요. 잘 지내셨어요?"

"다른 게 아니라 지수 씨가 진수 씨가 나가서 더 힘들어하는 거 같아요. 이번에 멘토·멘티 프로그램하려고 하는 데 오실 수 있어요?"

"네, 무조건 돼요."

"그런 이번 달부터 나와 주세요."

"감사합니다."

기회가 한 번 더 생긴 거 같다. 이번엔 무조건 잡아야 한다. 안 그러면 이젠 기회가 없을 것이다. 이번 모임은 다음 주 일요일이다.

모임 날이 찾아왔다. 너무 긴장한 상태이다. 그래도

이번엔 꼭 잡을 것이다.

"저기 지수 씨."

"네?"

"그때 공지한 거처럼 멘토랑 같이 활동하실 거예요."

"네."

"진수 씨 아시죠? 진수 씨가 앞으로 멘토로 활동하실 거예요."

"오랜만이에요. 진수 씨."

"네."

지수 씨는 처음 만났을 때처럼 차갑게 대했다.

"지수 씨, 그땐 제가……."

"전 괜찮아요. 이제 신경 안 써요."

아무래도 날 멀리하려고 마음을 먹은 거 같다. 다음 모임에서도 나와 지수 씨는 아무 말도 하지 않았다. 네 번째 모임에서 나는 지수 씨에게 말을 꺼냈다.

"지수 씨, 그땐 제가 죄송했어요. 양심이 없지만 전 친구로 지내고 싶어요."

"전 우리 사이가 여기까지면 좋겠어요. 그럼 전 가보겠습니다."

나는 몸이 먼저 반응하여 당장 뒤를 따라 나갔다.
빠르게 나가던 지수 씨가 멈춰 나에게 말했다.

"진수 씨, 저는 아직 누굴 좋아할 준비가 안 됐어
요. 앞으로도 그러고 싶지 않아요. 그럴 자신도 없어
요. 진수 씨 마음은 잘 알겠지만 우린 딱 여기……."

"좋아해요."

-2-

나는 어렸을 때부터 작가가 꿈이었다. 하지만 어머니는 내 꿈을 인정하지 않았다. 그래도 나는 작가를 도전하였다. 그리고 마침내 나는 내 책을 집필하였다. 친구들은 축하를 해주었지만, 아버지는 축하한다고 연락이 왔지만, 어머니에겐 아무런 소식이 없었다. 친구들은 신경 쓰지 말라고 하였지만 나는 신경이 쓰였다. 그리고 내가 쓴 소설은 잘 나가게 되었고 나는 인기 있는 작가가 되었다. 그리고 두 번째 소설도 연달아 성공하였다. 그러던 어느 날 부모님이 만나자는 문자를 보냈다. 이때 가지 말아야 했다. 부모님 집에

도착하고 어머니는 불만이 가득한 표정을 하고 있었
다.

"작가 그만둬라."

"저도 제 꿈이 있잖아요. 그만 간섭하세요."

"넌 아직도 내가 간섭하는 걸로 보이니? 이게 다
너를 위해서다."

"도대체 저를 위하게 뭔데요? 계속 제 꿈을 무시하
는데 그게 저를 위한 거예요?"

그날 이후로 나는 한 번도 부모님 집에 간 적이 없
었다. 그리고 심각한 무기력증이 왔다. 지필도 하기
싫어졌고 아무것도 하기 싫었다. 그러다 친구의 권유
로 병원을 가보았다.

"제가 봤을 땐 번아웃이 온 거 같아요. 혹시 직업
이 뭔가요?"

"그냥 작가 하고 있어요."

"번아웃이 직장인에게 오기도 하지만 작가나 배우,
가수인 분들에게 많이 와요. 그리고 진단을 해보니까
우울증도 같이 왔어요. 약 처방 해드릴 테니까 잘 드
시고 다음 달에 보겠습니다."

"네, 그렇게 해주세요."

그날 집에 가서 세상 누구보다도 서럽게 울었다. 내 인생은 왜 이리 꼬였는지 알고 싶었다. 그렇게 아무 생각 없이 시간을 보내다가 번아웃 모임을 찾게 나는 어렸을 때부터 작가가 꿈이었다. 하지만 어머니는 내 꿈을 인정하지 않았다. 그래도 나는 작가를 도전하였다. 그리고 마침내 나는 내 책을 집필하였다. 친구들은 축하를 해주었지만, 아버지는 축하한다고 연락이 왔지만, 어머니에겐 아무런 소식이 없었다. 친구들은 신경 쓰지 말라고 하였지만 나는 신경이 쓰였다. 그리고 내가 쓴 소설은 잘 나가게 되었고 나는 인기 있는 작가가 되었다. 그리고 두 번째 소설도 연달아 성공하였다. 그러던 어느 날 부모님이 만나자는 문자를 보냈다. 이때 가지 말아야 했다. 부모님 집에 도착하고 어머니는 불만이 가득한 표정을 하고 있었다.

"작가 그만둬라."

"저도 제 꿈이 있잖아요. 그만 간섭하세요."

"넌 아직도 내가 간섭하는 걸로 보이니? 이게 다 너를 위해서다."

"도대체 저를 위하게 뭔데요? 계속 제 꿈을 무시하는

데 그게 저를 위한 거예요?"

그날 이후로 나는 한 번도 부모님 집에 간 적이 없었다. 그리고 심각한 무기력증이 왔다. 지필도 하기 싫어졌고 아무것도 하기 싫었다. 그러다 친구의 권유로 병원을 가보았다.

"제가 봤을 땐 번아웃이 온 거 같아요. 혹시 직업이 뭔가요?"

"그냥 작가 하고 있어요."

"번아웃이 직장인에게 오기도 하지만 작가나 배우, 가수인 분들에게 많이 와요. 그리고 진단을 해보니까 우울증도 같이 왔어요. 약 처방 해드릴 테니까 잘 드시고 다음 달에 보겠습니다."

"네, 그렇게 해주세요."

그날 집에 가서 세상 누구보다도 서럽게 울었다. 되었다. 거기에선 많은 사람이 모인다고 하는 데 가도 도움을 안 될 거 같다. 그래도 뭐라도 해봐야 할 거 같다. 이대로 가다간 아무것도 못 할 거 같다.

　모임 날이다. 역시나 내가 싫었다. 그냥 집에 있고 싶었지만 나는 그러고 싶지 않았다. 그렇게 겨우 집 밖으로 나왔다. 한 달 만에 나온 밖은 가을이 되어 있었다. 하늘은 아주 평화로웠다. 나도 저 하늘처럼 평범한 하루를 지내고 싶었다. 그런데 어머니와 갈등으로 한 순간에 무너졌다. 모임 장소에 도착하고 나는 구석에 앉았다. 그리고 아버지에게 문자가 왔다. 응원의 문자였다. 사실 아버지와 어머니는 내가 고등학생 때 이혼하셨다. 그리고 아버지는 나의 꿈을 적극적으로 응원해 주셨다. 그 과정에서 어머니와 다툼이 많았다. 그러던 어느 날에 내가 고등학교에 입학한 날에 아버지는 집을 떠났다. 아버지가 양육권 소송을 하셨지만, 어머니가 항상 막았다. 그래서 나는 어머니와 단둘이 살았다.

어느 날 모임에 새로운 사람이 들어왔다. 그 사람은 나를 한참 바라만 봤다. 불쌍해서 보는 것이다. 대부분 사람도 불쌍하게 나를 본다. 이젠 상관없다. 그런데 그 사람 다음 모임 때도 나만 바라봤다. 그리고 다음 모임 때는 나에게 와서 왜 우냐고 물었다. 그 사람의 이름은 이진수라고 한다. 이 사람도 나와 갔을 번아웃이라고 한다.

"혹시 모임 끝나면 저랑 저녁 드실래요?"

나는 이 사람에 대해 더 궁금해졌다.

"좋아요."

진수 씨는 나보다 두 살이 어리다고 한다. 그리고 다음에도 저녁을 먹었지만 나에게 관심이 있는 거 같았다. 하지만 나는 이렇게 밥을 먹는 친구 사이로 만족한다. 딱 여기까지만.

병원에 가는 날이 왔다. 역시 가기 싫었다. 그래도 꾹 참고 갔다.

"요즘 기분 어떠세요?"

"그저 그래요. 전이랑 비슷해요."

"그 가신다는 모임은 잘 다니세요? 사람을 많이 만나봐야 힘이 날 수도 있어요."

"잘 다니고 있어요."

"그런 일단 약은 그대로 가겠습니다."

"네."

그러던 어느 날 진수 씨가 안 보였다. 모임 회원분들에게 물어봤는데 상태가 많이 좋아져서 이제 안 나온다고 한다. 그때 마침 진수 씨에게서 전화가 왔다. 나는 진심까진 아니지만 축하를 해주었다.

그리고 이틀 정도가 지나고 늦은 밤에 진수 씨에게 전화가 왔다. 전화기 너머로 들리는 진수 씨의 목소리는 술에 취해 있었다.

"진수 씨, 무슨 일이에요?"

진수 씨가 고민이 많다고 했다. 나는 이상하게 공감하고 있었다. 그러다 갑자기 진수 씨가 말하였다.

"좋아해요"

나는 깜짝 놀랐다. 사실 어느 정도 예측은 하고 있었다.

"대답 안 해도 돼요. 끊을게요."

순간 나는 멍해졌다. 그러자 심장이 빨리 뛰었다. 오랜만에 느껴 보는 감정이다. 그래서 더 혼란스럽다. 그리고 다음부터 진수 씨를 의도적으로 피했다. 다시는 그럼 아픈 가정을 겪기 싫었다. 그리고 진수 씨에게 주말에 보자 하였다. 잘 말해줘야 할 거 같다. 당연하게도 진수 씨는 그 일을 기억 못 하고 있었다. 오히려 다행인 거 같다. 진수 씨와 헤어지고 친구를 만나러 갔다. 오랜만에 만나는 친구라서 기대가 되긴 했다.

"지수야, 진짜 오랜만이다."

"그러니까. 진짜 반갑다."

"그러고 보니까 안색이 좋아졌네? 요즘 좋은 일 있

나 봐?"

"별일은 아닌데 요즘 기분이 막 안 좋진 않네."

"다행이다. 진짜. 근데 어떻게 한 거야. 모임 나가도 안 좋던 애가."

"자주 만나는 사람이 있는데 그 사람 때문인 거 같기도 해."

"누구데? 혹시 남자 친구?"

"그건 아닌데……."

"그런 뭔데?"

"그냥 자주 만나는 사람이야."

"진짜?"

"진짜라니까!"

"화내는 거 보니까 아닌 거 같은데?"

결국 지금까지 있었던 일을 모두 말했다.

"이야, 로맨틱하네."

"어떡하지……."

"넌 어떻게 하고 싶은데."

"나도 잘 모르겠어. 내 마음도 잘 모르겠고."

"내 생각엔 너도 그 사람을 좋아하는 거 같은데? 그리고 들어 보니까 좋은 사람 같은데."

"훨씬 좋은 사람이지. 그리고 아직 누굴 만나기엔 상처가 많아."

"너는 보면 항상 핑계 덩어리야. 알아?"

"갑자기 뭔 소리야."

"그 일만 벌써 5년 전이야. 언제까지 그 일로 핑계만 대냐?"

다 맞는 말이었다. 나는 항상 핑계만 대며 살아왔다. 스스로 멈춰보려고 했지만 쉽게 할 수가 없었다. 그래서 진수 씨를 피했다. 그 5년 전 일 때문에.

"내 말 듣고 있는 거지? 들어 보니까 너도 그 사람 좋아하는 거 같은데 고백 받아줘."

"생각을 조금 해봐야 할 거 같아."

"맨날 생각만 하냐. 됐고 밥이나 먹자."

"그래."

친구와 밥을 먹고 집으로 와서 곰곰이 생각을 해보았다. 사실 생각해볼 필요도 없다. 친구 말이 다 맞다. 난 무조건 핑계부터 시작한다. 무언가를 해보려고 노력을 안 했다. 그래도 아직은 이른 거 같다. 더 생각을 해보아야 할 거 같다.

아무리 생각해도 이건 아닌 거 같다. 내가 누굴 좋

아하고 그럴 여유는 없는 거 같다. 그리고 생각을 너무 많이 해서 어지럽다. 머릿속이 너무 복잡하다. 내가 진수 씨를 사랑해 줄 수 있는지, 그리고 이 사랑을 끝까지 이어 나가는 것도 지금은 버겁다. 조금 자야 할 거 같다. 너무 하루 종일 이 생각을 했더니 너무 졸리다.

　젠장, 꿈에서도 진수 씨가 나온다. 내가 점점 미쳐 가는지 의문이 든다. 아무리 꿈에 나온다고 해도 나는 아직 생각이 없다. 그러자 모임에 공지가 떴다. 모임 활동 방식이 바뀐다는 안내였다. 나에게는 별로 반가운 소식은 아니었다. 다른 사람을 만나도 내 마음의 병은 치료될 수 없을 것이다.

　모임 날이 찾아왔다. 내 멘토가 누군지는 별로 궁금하지 않았다. 그리고 내 멘토는 놀랍게도 진수 씨였다. 너무 놀라면서 기분이 좋았다. 하지만 나는 관심을 주지 않았다.

　"오랜만이에요 지수 씨."

　"네."

　진수 씨는 그날에 대해 말하려고 하는 거 같다. 하지만 나는 이제 그런 감정에 힘쓰고 싶지 않았다. 그리고 나는 그다음 모임에서도 무관심으로 대했다. 그다음 모임에서도 똑같이 행동했다. 그러던 어느 날 진수 씨가 나에게 말했다.

"지수 씨. 제가 그땐 죄송했어요. 양심 없지만 전 친구로 지내고 싶어요."

"진수 씨, 저는 우리 사이가 여기까지면 좋겠어요."

나는 자리에서 일어나 도망치듯이 밖을 나왔다. 그러자 진수 씨가 나는 붙잡고 말했다.

"좋아해요."

"알아요. 근데 전……."

"제 말 안 끝났어요. 저도 지수 씨가 아직 상처가 많은 걸 알아요. 근데 사람 마음이라는 게 어쩔 수가 없잖아요."

진수 씨의 눈에서 눈물이 흐르고 있었다.

"미안해요. 진수 씨."

순간 정적이 흘렀다.

"죄송해요. 제가 잘 정리할게요."

그리고 진수 씨는 떠났다. 그 일이 있고 나서 진수 씨는 모임을 나오지 않았다. 그리고 나는 집에 돌아와 후회하며 울었다. 나도 진수 씨한테 말하고

싶었다. 사랑한다고, 그리고 좋아한다고. 결국 나는
또 핑계만 대고 정작 잡아야 할 사람을 놓쳤다. 항상
그래 왔다. 사실 이러는 이유가 어머니 때문이다.
우리 집 때문에 남을 피해를 주기 싫었다. 진수 씨는
더욱 그렇다. 이것도 핑계라는 건 나도 잘 알고 있다.
어디서부터 잘못된 걸까……. 그 후로 나는 집 밖을
더 안 나갔다. 모임도 잘 안 갔다. 아마 진수 씨도
집 밖에 안 나갈 것이다. 내가 엄청난 상처를
주었으니 그럴만하다. 그리고 친구가 내 집에
찾아왔다.

　"야, 너 괜찮은 거 맞지? 안색이 안 좋아."

　"괜찮아."

　"안 괜찮잖아. 솔직하게 말해봐."

　"전에 말했던 사람 기억하지? 그 사람이 나한테
고백했어. 근데 나는 안 받아 줬어. 지금 생각하면
내가 왜 그랬는지 모르겠어."

　"그러면 받아 주지 그랬어."

　"그러니까. 나도 내가 왜 그랬는지 모르겠다니까?"

　이런 내가 너무 한심해서 순간 목소리가 커졌다.

　"솔직하게 말하자면 사실상 넌 그 사람을 가지고

놓았던 거야. 그렇게 관심을 주었으면 끝은 봐야지 어떻게 사람을 그냥 보내?"

다 맞는 말이다. 나는 진수 씨의 마음을 가지고 놓았다.

"받아 주는 건 너의 결정이지만 내 생각은 이렇다고."

"그래도 난 이 사랑을 끝까지 책임 못 질 거 같아. 그럴 자신도 없고……."

"그런 걱정을 왜 지금 해. 그런 거는 나중 일이야. 언제까지 그런 쓸데없는 고민만 할 건데?"

"……"

"엄마 눈치 보지도 말고 너 마음이 가는 대로 해. 그런 후회 안 할 거야. 아무튼 난 간다."

친구가 떠나고 나는 바로 진수 씨에게 문자를 보냈다.

-진수 씨, 지금 만나요. 하고 싶은 말이 있어요.

하지만 답장은 없었다. 당연하다. 아마 진수 씨는 어이가 없어 할 것이다. 상처를 준 사람이 만나자고 한다고 하면 그 누구도 만나기 싫어할 것이다.

다음 날에도 답장이 없자 전화를 해보았다. 역시

전화도 받지를 않았다. 그때 그 선택이 너무나도 후회된다. 지금은 아무런 생각도 하기 싫었다. 사람이 진짜 왜 이러는 것일까. 그러던 그때 좋은 생각이 떠올랐다. 그것은 바로 모임을 이용하는 것이다. 진수 씨가 올지는 모르겠지만 그때가 되면 만날 수 있을 것이다.

모임 날이 찾아왔다. 엄청나게 긴장하고 밖을 나갔다. 밖은 살짝 흐린 날씨였다. 날씨도 날 안 도와주는 거 같다. 이런 날씨에 고백이라니……

모임 장소에 도착하고 모임이 시작되었다. 진수 씨는 평소와 똑같이 행동했다. 나를 만나기 전과 똑같이……

강연 내용을 한 귀로 듣고 한 귀로 흘려보냈다. 그리고 강연이 끝나고 모임도 끝이 났다. 진수 씨는 먼저 자리에서 일어났다. 나도 진수 씨를 뒤따라 나갔다.

"지, 진수 씨."

진수 씨는 뒤를 돌아보지 않았다.

"진수 씨, 기다려 봐요."

나는 진수 씨를 붙잡아 세웠다.

"진수 씨, 제가 할 말이 있어요. 이 말만 듣고
가셔도 돼요."

심장이 빠르게 뛰고 있었다. 말도 잘 못할 거
같다.

"그때 저 좋아한다고 하셨잖아요."

"……"

"다시 대답하려고요."

그리고 나는 진수 씨에게 짧은 키스를 했다. 진수
씨가 많이 당황한 거 같았다.

그러자 하늘에서 눈이 내리고 있었다.

"사랑해요. 진수 씨. 지금 까지 말 못해서
미안해요."

그러자 진수 씨가 날 잡고 길게 입을 맞추었다.

"저도 많이 사랑해요."

그러자 갑자기 눈물이 흘렀다. 왜 인지는 알고
싶지 않았다. 그냥 나는 이 순간이 너무나도
행복했다. 시간이 멈춘다는 표현이 뭔지 알 거
같았다. 그냥 시간이 멈추었으면 좋겠다.

-3-

그날 이후 나와 지수 씨는 연인이 되어 있었다.
그리고 지수 씨의 병도 치유되고 있었다. 이제 지수
씨와 행복할 일만 남았다. 그리고 지수 씨 집에도
가보고 지수 씨가 내 집에 오기도 하였다. 그리고
데이트도 엄청나게 했다. 데이트가 끝나면 항상 나는
지수 씨 집 앞까지 데려다주었다.

"잘 자요. 지수 씨."

"진수 씨도 잘 자요."

지수 씨가 들어가는 것을 본 후 나는 집으로
향했다. 오늘 하루도 행복했다. 생각을 해보니 이젠
복학해야 할 거 같았다. 하지만 나는 지수 씨와 더
있고 싶었다. 그래도 졸업은 해야 하므로 복학을
선택했다. 그리고 다음 주 주말에 지수 씨와
데이트가 있다. 사실 매주 하는 거 같지만 나는 지수
씨를 매주 볼 수 있어서 난 좋다. 그리고 일주일이

지났다.

"지수 씨, 많이 기다렸죠?"

"아니에요. 오늘은 뭐 할까요?"

"일단 카페에 가요."

"좋아요."

"지수 씨, 제가 이제 복학을 하려고 해요."

"진짜요?"

"네, 이젠 할 때가 온 거 같아요."

"그래요. 언제까지 피하기만 해요. 잘 생각했어요."

말이 끝나고 지수 씨가 머뭇거렸다.

"저기 진수 씨, 부탁 하고 싶은 게 있는데요……."

"하세요. 뭔데요?"

"하루에 한 번 애정 표현을 해줄 수 있어요?"

"그게 뭐 부탁이에요. 당연한걸……."

"그러면 지금 해줘요."

"여기선……."

"알겠어요."

"말로만 하네……."

"그럼, 잠깐 걸죠?"

"지금이요?"

"네."

그 뒤로 밖에 나가서 사랑한다는 의미의 키스를
했다. 그 뒤로 나는 지수 씨와 거의 매일 만났다.
심지어 비가와도 나는 지수 씨와 함께 있었다.

그리고 시간이 흘러 벌써 일 년이 지나갔다.
새해에도 지수 씨랑 같이 보냈다. 그리고 나는
복학을 해야 한다는 것이다. 기대 대면서 두렵기도
하다. 그래도 일 년만 더 버티면 나는 졸업이기
때문에 조금만 더 버티면 된다. 그리고 학교 가는
날이 밝았다. 나는 긴장 하면서 학교로 가는 버스를
탔다. 학교가 가까워질수록 두려움이 몰려왔다.
그리고 나는 버스에 내려 정문으로 갔다. 학교에
도착하니 친구가 나를 반겼다. 친구는 벌써 졸업이
코앞이었다.

"야, 이진수 너 돌아 완전히 돌아온 거야?"

"어, 복학했어."

"진짜 반갑다. 오늘 MT 있는 데 올 거지?"

"아니 안 가려고."

"왜?"

"그냥."

"혹시 여친?"

"신경 끄세요."

"아, 궁금해. 나만 알려 주면 안 되냐? 나 입
무거운 거 너도 잘 알잖아."

"싫다니까."

"아, 알려줘."

"싫다니까."

"그래 알겠다. 그러면 점심이라도 같이 먹어주라."

"알겠어."

그리고 친구와 헤어지고 나는 수업을 들으러 갔다.
오랜만에 들으려고 하니까 엄청 힘들었다. 그래도
나쁘지는 않았다. 그리고 이해가 하나도 안 되었다.
큰일 난 거 같다. 수업이 끝나고 나는 친구와 밥을
먹으러 갔다. 오랜만에 먹은 학식은 별로 맛이
있지는 않았다. 그래도 친구랑 같이 밥도 먹으니,
기분은 좋았다. 이 행복이 오래 갔으면 좋겠다.

수업이 모두 끝나고 나는 지수 씨를 만나러 갔다.
분명 저번 주에도 만났는데도 설렌다. 남들은 안
질리냐고 물어볼 때마다 이해를 못 했다. 그리고 첫
데이트 때는 서로 어색해서 서 얼굴도 못 마주 보고

카페에서 조용히 커피만 마셨었다.

식당에 가보니 지수 씨가 벌써 도착했었다. 나는
서둘러 식당 안으로 들어갔다.

"많이 늦었죠? 죄송해요."

"아니에요. 괜찮아요."

"뭐 드실래요?"

"다 맛있어 보인다. 뭐 먹을까요?"

"이거 맛있어 보이는데 이거 먹어요."

"좋아요."

밥을 다 먹고 산책로를 걸으면서 지수 씨가
머뭇거리다가 말을 했다.

"저기 진수 씨, 부탁이 있는데요."

"네, 말하세요. 뭔데요?"

"저한테 말 편하게 해주시면 안 돼요?"

"아……."

"지수 씨, 지수 씨 하니까. 지인 만나는
기분이에요. 그냥 '지수야' 하고 불러 주시면 안 되는
거예요?"

"그게……."

"그게 싫으시면 하루에 한 번 애정 표현해

주세요."

"네?"

"이것도 싫어요?"

그리고 나는 지수 씨를 껴안으며 말했다.

"아니요. 좋은데요?"

그러자 지수 씨 얼굴이 술을 마신 거처럼
뜨거워졌다. 그리고 수줍어 한 지수 씨가 나에게
말했다.

"오늘 제 집에서 자고 가실래요? 마침 집에 술도
있고……."

"좋아요."

나는 그날 지수 씨 집에 가서 지수 씨와 맥주를
마시고 필름이 끊겼다. 그리고 나는 다음 날에
일어나 보니 지수 씨와 한 침대에 누워서 잠을 자고
있었다. 나는 순간 깜짝 놀라 소리를 지를 뻔했지만
자는 지수 씨 때문에 소리를 지를 수 없었다. 근데
자는 지수 씨가 너무나 예쁘고 사랑스러웠다. 나는
다시 자리에 누워 지수 씨를 보았다. 한 삼 분 정도
시간이 흐른 뒤에 지수 씨가 잠에서 깼다. 그리고
지수 씨는 놀란 표정으로 나를 보았다.

"지, 진수 씨가 왜 여기 있어요?"

"저도 사실 기억이 안 나요……. 분명 술을 마신 거 까진 기억이 나는 데……."

그러자 그날 밤의 기억이 떠올랐다. 나와 지수 씨는 그날 밤 술에 취한 후 조금 과격한 스킨십을 하며 침대로 왔다. 그다음이 기억나도 기억에서 사라졌으면 좋겠다.

"진수 씨 뭐 기억나는 거 없어요?"

"저, 저도 기억나는 게 없어요."

"그때 아무 일도 없었겠죠?"

"어, 없을 거예요."

"그래야 하는데……."

아마 어제 있었던 일을 말해주는 순간 지수 씨는 엄청나게 놀랄 것이다. 당분간, 아니 그냥 영원히 비밀로 하는 것이 좋을 거 같다. 아무튼 어색한 분위기 속에서 지수 씨와 밥을 먹었다. 진짜 그 순간엔 나와 지수 씨는 아무런 대화를 하지 않았다. 마치 처음 만난 날처럼 아무 말 없이 밥만 먹었다. 그리고 나는 밥을 먹고 학교를 가야 해서 지수 씨 집에서 나와 학교 가는 버스에 올라탔다. 버스에 앉아 가는 도중 어제 있었던 일이 갑자기 떠올랐다.
그날 나와 지수 씨는 한 침대에 누워 평범한
연인처럼 사랑을 나눴다. 근데 이 행동이 평범한
연인들이 하는 것이 맞는 건지 잘 모르겠다. 그냥
그날을 떠올리면 기분이 좋아졌다. 근데 문제가 있다.
난 그날의 기억을 학교에서까지 해서 수업에
집중하지 못했다. 너무 강렬한 기억인 거 같아서
그런 거 같다. 오늘 다시 지수 씨 집을 찾아야 할 거
같다. 아까부터 지수 씨 생각으로 가득했다.

　수업이 끝나고 나는 곧장 지수 씨 집으로
찾아갔다.

　"진수 씨, 무슨 일이에요?"

　"제가 할 말이 있어서요. 들어가도 되죠?"

　"네, 들어오세요."

　"저기 지수 씨. 부탁이 있어요."

　"네, 하세요."

　"저기, 우리 같이 살면 안 될까요?"

　"네?"

　"아까 학교에 있을 때 제 머릿속엔 지수 씨밖에
없었어요. 그리고 집에 가도 항상 지수 씨 생각만

하고 살아요. 그래서 제 욕심이지만 지수 씨를 항상 제 옆에 두고 싶어요."

"저도 그러고는 싶은데 아시잖아요. 제 어머니가 어떤 분이 신지."

"남들 눈치 따위 저는 신경 안 써요. 그러니까 같이 살아요."

지수 씨는 한참을 고민하다가 웃으면서 나에게 말했다.

"좋아요. 같이 살아요. 진수 씨가 여기로 오시는 거죠?"

"네."

그렇게 나와 지수 씨의 동거가 시작되었다. 방을 따로 쓰는 거 빼면 엄청 좋다. 그리고 나는 다음날 내가 살던 집을 정리 하고 내 짐 일부를 지수 씨 집으로 가져왔다. 그리고 지수 씨 집에 안 쓰는 방에 내 짐을 다 풀었다. 속으로는 같이 방을 쓰고 싶었지만 아쉽게도 방을 분리해서 쓰기로 했다. 짐 정리가 끝나고 쓰레기들 버리려 하는 데 배달 음식 쓰레기가 많았다.

"지수 씨, 배달 음식 쓰레기가 왜 이렇게 많아요?"

"아 그냥 별거 아니에요. 제가 그냥 밥도 잘
못하고 귀찮아요."

"그러면 오늘 제가 저녁 차려 드릴게요."

"진수 씨, 요리도 할 줄 알았어요?"

"네, 조금 해요."

"진수 씨, 멋있다. 좋은 남자 친구 두어서 좋네요."

그리고 저녁 시간이 다 되어 갔다. 나는 그 전에
장을 봐두어서 저녁밥을 만드는 중이었다. 지수 씨는
옆에서 신기하다는 듯이 나를 보았다. 덕분에 살짝
뿌듯함이 몰려왔다. 저녁밥이 완성되고 지수 씨가
내가 만든 요리들을 하나씩 맛을 보았다.

"맛있어요?"

"너무 맛있어요. 진짜 이런 것도 할 줄 알고 진짜
멋있다."

"입맛에 맞아서 다행이네요. 많이 드세요."

그리고 나는 평소처럼 하루들을 보내다가 어느 날
지수 씨의 표정이 안 좋아 보인 것을 보았다. 근데
나는 아무 것도 할 수 없었다. 변명 같지만 연애를
해본 적이 없어서 이런 상황에 어떻게 해야 할지 잘
모르겠다.

"지수 씨, 무슨 일 있으세요?"

지수 씨는 나를 한참동안 바라만 보다가 미소를 지으며 말했다.

"조금 늦었네요."

"뭐가요?"

"전 더 빨리 와서 말 할 줄 알았는데 생각 보다 늦게 말했네요."

"진짜 무슨 일 있는 건 아니죠?"

"그걸 꼭 말로 해요?"

"네, 제가 이런 경우는 처음이라서 잘 몰라요."

"사실 작업 중인 작품이 잘 안 풀려서 기분이 안 좋았어요."

"아, 그랬구나."

"그래도 진수 씨가 이렇게 순수하게 대해 주시니까. 기분이 금방 풀리네요."

"기분이 풀려서 다행이네요."

사실 진짜로 다행인 것은 지수 씨의 깊은 상처 때문이 아니라는 것이다. 사실 예전에 지수 씨가 어머니와 많은 다툼이 있었다고 한다. 그래서 가끔 갑자기 찾아와 지수 씨를 못 살게 했다고 말해

주었다. 그래서 그 일이 이 있고나면 항상 힘들어
했다고 한다. 다행인 건지는 모르겠지만 나와
있으면서 아직까진 찾아오지 않았다. 그리고 문뜩
이런 생각이 들었다. 만약 누군가 지수 씨를
건드린다면 그땐 내가 기댈 곳이 되어 주겠다고
다짐했다. 그리고 다시 나와 지수 씨는 평소처럼
행복한 나날을 지냈다. 지수 씨의 상처도 전보다 더
치유 된 거 같았다. 그런 지수 씨를 보고 있으면
나도 기분이 좋아졌다. 제발 이대로 쭉 지수 씨가
행복했으면 좋겠다.

그러던 어느 날 나는 평소처럼 수업이 끝나고
집으로 향했다. 그런데 분위기가 좋지 않았다. 나는
집에 들어가지 않고 밖에서 소리를 들어 보았다.

나는 그 집 안에서 들리는 소리를 듣고 충격을
받았다. 지수 씨 집에 또 어머니께서 찾아왔다. 나는
놀라서 바로 집으로 들어가려는 순간 지수 씨의
어머니가 집 밖으로 나왔다. 지수 씨의 어머니의
표정이 그렇게 좋진 않았다. 집 안에 들어오고 나는
지수 씨에게 방금 전 상황을 들었다.

"무슨 일이에요? 어머니가 또 뭐라 하셨어요?"

"네. 언제까지 자기 말 안 들을 거냐고 하시네요. 전 괜찮아요. 여러 번 있었던 일이라서…….

"지금 하나도 안 괜찮아 보여요."

"혹시나 저희 엄마가 찾아오면 만나지 마요. 진수 씨까지 피해 주는 건 싫어요."

"제 일은 제가 알아서 해요. 그러니까 지수 씨는 좀 쉬세요."

"네…….

방으로 들어와 나는 화가 났다. 내가 지켜주지 못하여 그런 것도 있었고 지수 씨의 어머니 때문인가도 있었다. 하지만 나는 할 수 있는 것이 없었다. 그래서 더 화가 났다. 그 일이 있고 나서 지수 씨의 어머니가 계속 나를 찾아왔다. 하지만 나는 지수 씨의 말처럼 계속 피해만 다녔다.

"진수야, 그 아주머니 또 오셨어. 왜 계속 오시는 거냐."

"괜찮아요. 안 만나면 되요."

"그래 알겠어."

사실 이제는 조금 부담스러웠다. 매일 학교 주변에 배회하며 나를 만나려고 한다.

그러던 어느 날 나는 화가 나서 지수 씨의
어머니를 만났다. 학교 앞 카페에서 지수 씨의
어머니를 기다렸다. 지수 씨의 어머니가 나를 보고
자리에 앉아 말을 시작했다.

"우리 딸이 왜 저렇게 됐는지 아세요? 주변 사람들
때문이에요. 당신도 포함이고."

"그래서요."

"헤어지라고요. 제 딸 인생 그만 망치고
헤어지라고요."

"싫은데요."

이때가 처음이었다. 내가 처음으로 싫다고 말한
것이다.

"지수 씨 인생은 제가 아니라 오히려 어머니께서
망치는 중이에요. 수시로 집에 쳐들어오고 꿈을
짓밟고 그러세요? 진심으로 지수 씨를 위한 것이라면
다시는 집에 찾아오지 마세요."

지수 씨의 어머니는 아무 말도 하지 않았다. 아니
할 수 없었다. 내가 하는 말이 다 맞는 말이었기
때문이다. 그리고 나는 그 자리에서 일어나
뒤돌아보지 않고 카페를 나왔다. 집으로 가는 도중에

나는 주저앉아 울었다. 이제 다 끝났다는 생각과 지금 까지 고통 받았던 지수 씨의 생각을 하며 울었다.

　시간이 지나고 더 이상 지수 씨의 어머니는 찾아오지 않았다. 지수 씨도 예전처럼 활기를 되찾았다.

작가의 말

  이 책을 처음 쓰기 시작 했을 때 나는 무기력증이 왔었다. 그 때는 아무것도 하기 싫었고 아무것도 먹지 않았다. 하지만 나는 이 시기를 싫어하지는 않는다. 이 시기 덕분에 나는 새로운 전환점을 찾았고 지금도 이렇게 살고 있다. 그래서 결론은 아무리 지금은 힘들고 지치겠지만 노력하고 버텨낸다면 언젠가는 좋은 날이 올수도 있을 것이다.

2024년 06월 7일 박상혁 올림